# 꿈은
## 이루어질까요?

브리지뜨 라베는 작가입니다. 피에르 프랑수아 뒤퐁 뵈리에는 소르본 대학에서 철학을 가르치고 있어요. 자크 아잠은 일러스트레이터로 〈철학 맛보기〉 시리즈의 모든 그림을 그렸으며, 만화도 그리고 있습니다. 이 책을 우리말로 옮긴 박상은 선생님은 프랑스 세인트 위르술레 고등학교를 졸업하고 연세대학교에서 불어불문학과 교육학을 전공했습니다. 소르본 대학에서 DEA박사 학위를 받았고 지금은 영어와 프랑스어 도서 전문 번역 작가로 활동 중입니다.

**철학 맛보기** 29  꿈은 이루어질까요? — 가능과 불가능

지은이 · 브리지뜨 라베, 피에르 프랑수아 뒤퐁 뵈리에 | 그린이 · 자크 아잠 | 옮긴이 · 박상은
첫 번째 찍은 날 · 2014년 1월 15일
편집 · 김수현, 문용우 | 디자인 · 박미정 | 마케팅 · 임호 | 제작 · 이명혜
펴낸이 · 김수기 펴낸곳 · 도서출판 소금창고 | 등록번호 · 2013-000302호
주소 · 서울시 마포구 포은로 56, 2층(합정동) | 전화 · 02-393-1174 | 팩스 · 02-393-1128
전자우편 · hyunsilbook@daum.net
ISBN · 978-89-89486-89-3 64860
ISBN · 978-89-89486-80-0 64860(세트)

**POSSIBLE ET IMPOSSIBLE**
Written by B. Labbé, P.-F. Dupont-Beurier and J. Azam
Illustrated by Jacques Azam
Copyright ⓒ 2011 Éditions Milan – 300, rue Léon Joulin, 31101 Toulouse Cedex 9 France
www.editionsmilan.com
Korean translation copyright © Sogumchango, 2014
This Korean edition was published by arrangement with Éditions Milan through Sibylle Books Literary Agency, Seoul

| 브리지뜨 라베 · 뒤퐁 뵈리에 지음 | 자크 아잠 그림 | 박상은 옮김 |

# 꿈은
# 이루어질까요?

소금창고

# ● 철학 맛보기의 메뉴 ●

# 만약 기차를 놓치지 않았다면?

"아빠, 그때 만약 기차를 놓치지 않았다면 어떻게 되었을까요?"

"또 그 얘기니!"

"얘기해 주세요! 그날, 아빠가 기차를 안 놓쳤으면요?"

"그럼, 네 엄마를 못 만났겠지."

"다른 날 만날 수도 있잖아요?"

"아니, 그럴 리 없어. 엄마는 다음 날 약혼자를 만나러 중국에 갈 예정이었거든."

이리스는 아빠의 얼굴을 빤히 쳐다보았어요. 아빠가 어떻게 아무렇지도 않게 말할 수 있는지 곰곰이 생각해 보았지요.

"정확히 어떤 일이 있었는데요?"

"기차를 놓쳐서 다음 차를 탔단다. 창가에 앉았는데, 옆에 눈부시게 아름다운 여자가 있더라고."

"아, 그 부분은 됐어요!"

이리스가 끼어들었어요.

"그 말은 100번도 넘게 들은걸요! 제 말은 어떻게 기차를 놓쳤냐고요? 아빠는 항상 한 시간 먼저 가서 기다리는 분이잖아요."

"맞아! 아빠가 기차를 놓친 최초이자 마지막 날이었지. 그날은 평소처럼 지하철을 타지 않고, 택시를 타고 역에 갔단다."

"왜요?"

"발가락을 다친 친구와 같이 있었거든. 친구가 제대로 걸을 수 없어서 어쩔 수 없었지."

"택시를 타자마자 곧 비가 쏟아지는 거야. 길거리가 물바다가 될 만큼 비가 많이 내렸단다. 차가 앞으로 나갈 수가 없었어. 역에 도착했지만 기차는 이미 떠난 지 오래였지. 그래서 다음 기차를 탄 거란다."

"그리고 그 기차에 엄마가 있었던 거군요!"

"그래, 좌석 번호가 87이었어. 세상에! 아직도 그 번호를 기억하고 있다니."

"만약에 아빠가 기차를 놓치지 않았다면, 그럼, 저는…."

이리스가 갑자기 말을 멈추었습니다.


이리스는 궁금했어요. 왜 하필 그날, 아빠의 친구가 발가락을 다쳤는지 그 이유를 알고 싶었답니다.

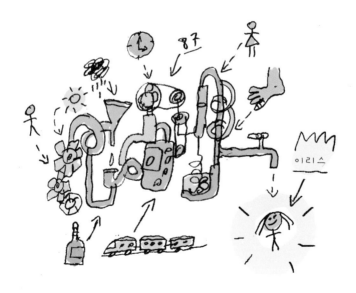

"어처구니없는 사고였지."

아빠가 웃으며 말했습니다.

어처구니없는 이야기라고요? 이리스는 아빠의 얼굴을 쳐다보았어요. 아빠가 아무렇지도 않게 그런 말을 할 수 있는지 곰곰이 생각해 보았지요. 그 일이 이리스에게 얼마나 중요한 사건인지 아빠는 정말 모르시는 걸까요?

"그 친구가 얼음이 가득 든 양동이에 샴페인을 넣었는데 말이야."

아빠가 이야기를 시작했어요.

"그런데 그 친구의 네 살 난 아들 녀석이 자기가 식탁까지 양동이를 들고 가겠다고 떼를 썼대. 하는 수 없이 그러라고 했다는구나. 하지만 양동이가 너무 무거워서 아이가 양동이를 떨어트리고 말았단다. 어디로 떨어졌는지 알겠지?"

이리스는 아무 말도 하지 않았어요.

"그 친구의 발등에 떨어진 거지!"

아빠는 이리스 쪽을 쳐다보지도 않고 쉬지 않고 곧장 말했습니다.

아빠의 친구 아들이 고집을 부리지 않았다면? 아들이 양동이를 들지 않았다면 어떻게 되었을까요? 만약 양동이가 아빠 친구의 발에서 10센티미터 떨어진 곳에 떨어졌다면? 아빠가 기차를 타던 날 날씨가 좋았다면? 소나기가 쏟아지지 않았거나 비가 30분 뒤에 내렸다면 어떻게 되었을까요?

이리스는 머릿속이 복잡해졌어요. 아빠의 친구가 왜 샴페인을 마시려고 했는지까지 차마 물어볼 수는 없었지요. 이리스는 아주 사소한 사건들이 모여서 부모님이 만나게 되었다고 생각하자 기분이 이상했습니다. 그날, 구름도 없고 날이 아주 화창했다면… 아마 이 세상에 이리스는 없었을지도 몰라요.

하지만 지금 이리스는 세상에

이리스

있답니다. 아빠의 이야기를 들으면서 이리스는 머리가 아팠어요. 이리스가 세상에 태어나지 않았을 가능성이 분명 있었으니까요.

"그래요. 멋진 이야기네요."

이리스가 미소를 지었어요. 하지만 속으로는 엄마의 좌석 번호가 78번이었다면 어땠을까 생각했어요.

매표소에서 엄마에게 87번이 아니라 78번 좌석 표를 주었다면 아마 이리스는 이 세상에 태어나지 않았을 거예요. 그런 상상을 하다 보면 정말 이상하다는 생각이 들지 않나요?

## 여러 가지 중 하나의 가능성

"어제 룩이 지하철을 탔는데 갑자기 두 정거장을 남겨 두고 기차가 서는 바람에 거의 한 시간 동안 지하철 안에 있어야 했대. 그러다가 옆에 앉은 남자와 대화를 나누었는데 알고 보니 룩이 일하고 싶어 하던 식당의 사장이었다지 뭐야! 사장이 룩에게 다음 주 월요일에 식당에 들러서 요리 실력을 보여 달라고 하더래."

만약에 지하철이 갑자기 서지 않았다면 룩은 옆에 앉

은 남자와 이야기를 나눌 일도 없었을 거예요.

"정말 깜짝 놀랄 소식이 있어! 루이즈가 로또에 당첨
돼서 3,000만 유로를 벌었대!"

만약에 그 주에 루이즈가 로또 사는 걸 깜박했다면,
루이즈가 평소에 찍는 번호가 당첨 번호가 되어도 아무
소용이 없었겠죠.

"어떤 남자가 브라사르 거리를 걷고 있는데 아파트
13층에서 화분이 떨어진 거야. 화분이 하필 남자의 머리
에 떨어져서 그 자리에서 사망했다는구나."

만약에 화분이 10센티미터 뒤에만 떨어졌
더라도 남자는 죽지 않았겠죠.

우리에게 일어난 일이 곧
현실입니다. 현실은 여러

가지 가능성 중에서 하나의 가능성이 실제로 일어난 것을 말하지요.

# 좀 더 자세히…

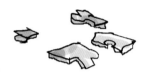

화분이 떨어진 이유를 설명할게요.

그날 아침, 브라사르 거리의 아파트 13층에 사는 조지 안느는 화초가 누렇게 시든 것을 보았어요. 그래서 햇볕을 쬐게 해주려고 화분을 발코니로 가져갔지요. 화분을 놓을 자리를 만들려고 작은 탁자를 치우는데 때마침 경비원 아저씨가 벨을 눌렀어요. 그 소리에 깜짝 놀란 조지안느가 몸을 홱 돌리다 그만 팔꿈치로 화분을 밀치고 말았답니다.

남자는 왜 그 시간에 그 길을 지나갔을까요?

남자가 사는 집 바로 밑에 제과점이 하나 있어요. 그런데 그날 제빵사가 독감에 걸려서 가게 문을 닫는 바람에 남자는 브라사르 거리에 있는 제과점까지 걸어간 것이랍니다.

이와 같이 하나하나 떼어 놓고 보면 사실 별일이 아니에요. 그런데 그 일들이 그날 아침에 동시에 일어났다는 게 문제였지요. 그날, 화초가 누렇게 시든 것을 발견했고, 경비원 아저씨가 갑자기 벨을 눌렀고, 놀란 아주머니가 팔꿈치로 화분을 밀쳤고, 그날따라 집 근처 제과점이 문을 닫아 남자가 아침에 먹을 갓 구운 빵을 사기 위해 다른 제과점으로 걸어간 거예요. 상황을 좀 더 자세히 들여다보면, 각자의 이야기가 서로 얽히고설킨 것을 알 수 있답니다.

1500년 3월 9일.

항해사 페드로 알바레스 카브랄은 수백 명의 선원들을 태운 13척의 함대를 이끌고 포르투갈을 떠났어요. 그는 동쪽에 있는 인도로 가려고 했지요. 하지만 아프리카 연안을 따라 항해하던 도중에 바람이 너무 약해서 항로를 바꿨다가 그만 강한 북서풍을 만난 거지요. 결국 페드로 알바레스 카브랄이 도착한 곳은 서쪽에 있는 오늘날의 브라질이었어요. 항해사는 그곳을 포르투갈의 식민지로 정하고 이름을 '테라 다 베라 크루스(십자가의 땅)'라고 지었답니다.

오늘날 브라질 사람들은 대부분 포르투갈어를 사용해요. 과거에 항해사 페드로 알바레스 카브랄이 강한 바람에 떠밀려 인도로 가지 못하고 브라질 연안에 도착했기

때문이에요. 항해사는 인도로 가기 위해 항해를 떠났는데 바람이 약하게 불자 항로를 바꿨다가 강풍을 만났어요. 이렇게 작은 사건들이 이어지면서 오늘날 인류의 역사가 완성되었습니다.

# 목을 베어라!

"그 무슨 말도 안 되는 소리냐!"

왕이 화를 내며 말했습니다.

"존경하고 존경하옵는 폐하, 저는 진실을 말씀드린 겁니다. 제가 사는 나라는 날씨가 매우 추워서 물이 언답니다."

"물은 늘 흐르는 것이거늘 어떻게 물이 움직이지 않는단 말이냐?"

왕이 믿을 수 없다는 듯 말했어요. 왕은 날씨가 매섭게 추운 북쪽 나라에 가 본 적이 한 번도 없었거든요.

"폐하, 그곳에서는 물이 얼 수 있습니다."

노르웨이 대사가 다시 한 번 말했습니다.

"폐하의 왕국에 있는 코끼리들이 그곳의 꽁꽁 언 강과 호수 위로 걸어갈 수도 있답니다."

참다못한 왕은 자리에서 벌떡 일어나 신하들에게 명

령했어요.

"이봐라, 저 자
의 목을 베어라!
나를 놀리는 자
는 용서하지
않을 테다."

왕은 아주 더운
나라에 살아요. 이
곳에서는 하늘에서
내리는 빗물까지도 미
지근하답니다. 그러니 추
운 지방의 물이 얼마나 차가운지
어떻게 상상할 수 있겠어요? 얼음을 본 적이 없는 왕이
어떻게 얼음이 언다는 것을 상상할 수 있겠냐고요.

쉬는 시간에 주스틴과 마르셀은 계속 말다툼을 했습
니다.

"그만해! 내가 바본 줄 알아!"

마르셀이 말했습니다.

"진짜야, 믿어 줘!"

주스틴이 말했어요.

"이 20센티미터 자의 길이가 줄어들게 된다니까. 자를 로켓에 실어 우주로 날려 보내면 자의 길이가 줄어들 수 있어."

"어련할까! 거짓말도 참 잘하지!"

"우주에서는 지구보다 시간이 더 천천히 흐르거든. 같은 한 시간이라도 거기서는 지구보다 훨씬 더 길다고."

"주스틴, 너 괜찮니?"

마르셀은 주스틴을 걱정스러운 듯 쳐다보더니 단호하게 말했어요.

"생각해 봐! 그건 불가능한 일이야! 20센티미터는 20센티미터고, 한 시간은 누가 뭐래도 한 시간이야."

마르셀은 주스틴의 말을 믿을 수가 없어요. 그렇다고 친구의 머리를 베지는 않을 거예요. 노르웨이 대사의 주

장과 마찬가지로 주스틴의 말도 진실이에요. 물리학자들이 실험을 통해 증명한 사실이니까요. 길이와 높이, 넓이와 시간은 속도에 따라 다르게 측정됩니다. 물론 마르셀을 이해하지 못하는 건 아니에요. 이 기이한 현상에 대해 한 번도 들어본 적이 없으니 상상할 수 없는 게 당연해요. 자의 길이가 줄어들고 시간의 길이가 늘어난다니 참 신기해요! 누가 자신이 사는 마을에서는 딸기 맛이 나는 눈이 내린다고 말한다면 믿겠어요? 우리는 당장 말도 안 된다고 생각할 거예요. 딸기 맛이 나는 눈에 대해서 들어 본 적도 없고 먹어 보지도 못했으니까요.

사람들은 자신이 겪은 경험을 통해 그 일이 가능한지, 불가능한지를 판단해요. 직접 보고 들은 것, 만지고 느낀 것, 맛본 것을 통해서 가능성과 불가능성을 결정한답니다.

# 심술쟁이 릴리

아침부터 브누아는 누나 릴리
에게 관람차를 타러 가자고 졸
랐어요. 잠옷 차림으로 집에서
빈둥거리던 릴리는 남동생을 데리고 외출하기가 귀찮았
어요. 그래서 릴리는 브누아에게 내기를 하자고 제안했
지요.

"동전 하나만 가져와. 동전을 던져서 뒷면이 나오면
관람차를 타러 가는 거고, 앞면이 나오면 오늘 밤까지
나한테 말 걸지 않기."

"으앙, 싫어."

브누아는 울면서 떼를 썼어요.

"내가 누나 속을 모를 줄 알아? 내 돈 훔쳐 가려고 그
러는 거지? 그러지 말고 주사위를 던져서 6이 나오면
관람차를 타는 거야. 어때?"

릴리는 주사위를 던질 준비를 하고 있는 남동생을 보며 속으로 웃었어요.

'쯧쯧, 멍청한 녀석!'

아이고, 안 돼요! 브누아에게 주사위를 던지지 말고 동전을 가져오라고 해요. 안 그러면 내기에서 질 가능성이 너무 높아요. 그 이유를 설명해 줄게요. 브누아는 내기에서 이길 수도 있고 질 수도 있어요. 둘 중 하나예요. 간단하죠. 동전은 앞면과 뒷면이 있어요. 두 가지 가능성이 있는 거죠. 이길 가능성과 질 가능성이 각각 반반이에요.

주사위는 어떨까요? 여기서도 마찬가지로 브누아는 이길 수도 있고 질 수도 있어요.

하지만 이길 가능성과 질 가능성이 똑같지는 않답니다. 주사위를 던지면 숫자 1부터 2, 3, 4, 5, 6 중 하나가 나올 거예요. 6이 나오면 브누아가 이기지만 1, 2, 3, 4나 5가 나오면 지게 되죠. 그러니까 이길 가능성보다 질 가능성이 훨씬 더 높아요. 동전보다 주사위 내기를 했을 때 브누아가 질 가능성이 당연히 더 크답니다.

"주사위를 던지지 마!"
릴리가 소리쳤어요.
5분 후면 텔레비전에서 릴리가 가장 좋아하는 프로를 할 시간이에요.
"우리 카드로 하자. 한 장을 뽑아서 하트 A가 나오면 지금 당장 외출하기로."
"누난 정말 세상에서 가장 착한 누나야!"

야옹이가 멍멍 하고 짓으면 널 극장에 데려갈게.

야옹~

아이고, 안 돼요, 안 돼! 릴리는 세상에서 가장 착한 누나가 절대 아니에요! 물론, 브누아가 운 좋게 하트 A를 뽑을 수도 있을 거예요. 하지만 A를 뽑더라도 다이아몬드나 스페이드나 클로버가 나올 수도 있지요. 또 그 네 가지 중에 킹이나 퀸, 잭(하인) 카드를 뽑을 수도 있고요. 그리고 숫자 10이 적힌 카드가 나오거나 9, 8, 7, 6, 5, 4, 3, 2가 적힌 카드 중에서 하나를 뽑을 수도 있답니다. 카드는 모두 52장인데, 딱 하트 A 한 장을 뽑아야 이기는 것이고, 나머지 51장 중에서 한 장을 뽑으면 지는 거예요. 브누아가 질 가능성이 너무너무 높아요. 이제 릴리가 왜 착한 누나가 아닌지 알겠죠? 동생이 이길 확률이 아주 낮은 내기를 일부러 고른 거예요. 그래야 릴리가 집에 있어도 될 가능성이 높으니까요.

브누아가 갑자기 동작을 멈추었습니다.

'뭔가 이상해…'

브누아가 누나의 미소를 보며 속으로 생각했어요.

'누난 평소엔 잘 웃지 않는데, 내가 이길 가능성이 아예 없는 게 분명해.'

브누아는 확률을 따지는 데에는 서툴지만 관찰력은 아

주 뛰어나요. 조심하길 잘했어요! 브누아가 이길 가능성
이 전혀 없는 것은 아니지만, 그래도 52장의 카드 중에
서 하나를 뽑아야 하니 이길 확률이 52분의 1인 것이지
죠. 카드보다는 주사위로 내기하는 게 더 나아요. 이길
확률이 6분의 1은 되거든요. 또 동전을 사용하면 이길
확률이 2분의 1, 절반이나 된답니다.

모든 일의 가능성이 공평하게 주어지는 것은 아니에
요. 아주 가능한 일도 있고, 중간 정도 가능한 일이 있
고, 거의 가능하지 않은 일도 있지요.

　　브누아는 얼른 방으로 뛰어가서는 동전을 가지고 나
　　와 던졌답니다. 결과는…

동전의 어느 면이 나왔을까요? 어쨌든 브누아가 동전
을 쓰기로 결심한 것은 아주 잘한 일이에요. 관람차를
탈 확률이 가장 높은 방법을 썼으니까요.

# 거의 불가능한 일

1930년 6월, 남아메리카에 있는 안데스 산맥에서 일어난 일이에요.

"앙투안, 현실적으로 생각해 봐. 앙리가 지금까지 살아 있다는 건 불가능해. 비행기를 타고 가도 소용없어. 앙리를 찾을 수 없을 거야. 신문에서도 이미 그의 죽음을 기사로 내보냈어."

비행기에 오르면서 앙투안은 친구의 말이 옳다고 생각했어요. 눈 덮인 안데스 산맥에서 사흘 이상 견딜 수 있는 사람은 없을 겁니다. 하지만 앙리의 모습을 다시 볼 수만 있다면 설령 비행기가 산비탈에 부딪히는 한이 있더라도 앙투안은 산 곳곳을 날아다니며 친구를 찾고 싶었습니다.

앙투안 드 생텍쥐페리는 친구 앙리 기욤을 찾는 것이 거의 불가능하다는 것을 잘 알고 있습니다. 하지만 절대적으로 불가능한 일은 아니었어요. 매우 희박하지만 가능성이 아예 없는 일은 아니었답니다. 그래서 앙투안은 깊은 산 속으로의 비행을 결심했습니다. 친구를 찾겠다는 마음이 다른 불가능성의 확률을 모두 제쳐 놓을 만큼 컸던 거죠.

# 불가능의 세계

옛날 사람들은 인간이 달에 가는 것은 불가능하다고 생각했어요. 또 인간의 심장이 시속 100킬로미터의 속도를 견딜 수 없을 거라고 여겼지요. 비행기가 대서양을 건너가는 것도 불가능한 일이라고 생각했고요. 또 여성이 선거 투표에 참여하는 것은 있을 수 없다고 말했지요. 시각 장애인이 책을 읽는 것은 불가능하며, 에이즈에 걸리면 10년 이상 살 수 없다고 얘기하던 때도 있었어요. 그리고 인간이 100미터를 10초 안에 뛰는 것도 불가능하다고 말했지요.

인간의 힘으로는 불가능하다고 생각했던 것은 무수히 많아요. 하지만 인류의 역사는 이처럼 불가능한 것을 가능하게 만들었습니다.

내가 터키어를 하는 것은 불가능해. 500명의 관중 앞에서 피아노를 연주하는 것은 불가능해. 내가 배우가 되다니 말도 안 돼. 이 시합에서 이길 가능성은 없어. 내가 이 시험에 합격하는 것은 불가능해.

하지만 우리는 터키어를 배울 수 있고, 관중들 앞에서 연주를 할 수 있어요. 배우가 되는 것도 가능하고, 시합에서 이길 수도 있어요. 또 시험에 합격할 수도 있습니다. 우리는 매일같이 불가능한 것을 가능하게 만들며 살고 있지요.

# 형이 있으면 좋겠어!

"얘들아, 아빠 왔다!"

아빠가 들어오며 릴리와 브누아에게 소리쳤어요.

"릴리야, 무슨 일이니? 브누아가 왜 우는 거야?"

"아무 일도 아니에요. 관람차를 타고 싶다고 투정 부리는 거예요."

릴리가 대답했습니다.

"아니야, 그런 게 아니잖아!"

브누아가 방 안에서 고래고래 소리를 질렀어요.

"누나는 필요 없어. 형이 있으면 좋겠어!"

우리도 브누아처럼 하고 싶은 것, 가지고 싶은 것이 있어요. 갓난아기 시절로 되돌아가고 싶다고 말하는 사람도 있고, 하룻밤 사이에 훌쩍 자라는 게 소원인 사람도 있어요. 또 20년 전으로 되돌아가고 싶어 하는 사람

도 있을 거예요. 내가 아닌 다른 사람이
되고 싶기도 하고, 하늘을 날아다니거나
투명인간이 되고 싶어 하지요. 또 인어가
되어 바닷속에서 사는 게 소원인 사람도
있답니다. 이처럼 인간의 욕망은 끝이 없
어요. 꿈은 막을 수가 없지요. 그 꿈이 가
능할지 불가능할지는 중요하지 않아요.

● "누나는 싫어! 나도 형이 있으면 좋겠어!"

브누아는 소원을 들어 달라고 발을 동동 구르고 방바
닥을 뒹굴며 떼를 쓸 수도 있어요. 하지만 온 세상 사람
들에게 떼를 써도 그 소원은 절대 이뤄지지 않을 거예
요. 사람들은 불가능한 욕망에는 관심이 없어요. 아무도
그의 소원을 들어줄 수 없지요.

● "브누아는 남동생이 생기면 좋겠대요."

그 소원은 가능해요! 브누아는 소원을 들어 달라고 발을 동동 구르고 방바닥을 뒹굴며 떼를 쓸 수 있어요. 하지만 온 세상 사람들에게 떼를 써도 브누아가 할 수 있는 일은 없어요. 안타깝게도 그 소원은 자기가 바란다고 해서 이뤄지는 게 아니랍니다.

브누아는 침대에 누워 마음을 진정시키고 등산과 관련된 책을 보았어요. 높은 산에 올라가는 방법을 소개한 이 책은 작년에 선물로 받은 거예요.

브누아는 가장 좋아하는 페이지를 찾았어요. 바로 비행기에서 내려다본 에베레스트 산이에요.

'언젠가는 꼭 저곳에 올라갈 거야.'

브누아가 속으로 중얼거렸어요.

드디어 브누아가 스스로 이룰 수 있는 것을 찾았군요! 물론 많은 등산가들이 정상에 오르는 걸 포기하고 산을 내려오곤 해요.

히말라야 산에 갔다가 사고로 죽은 사람들도 많고요. 또 위험한 자연 현상들이 등산을 방해할 거예요. 눈사태가 날 수도 있고, 갑자기 돌풍이 브누아를 덮칠 수도 있어요. 또 폭풍을 만나 산에서 꼼짝도 못하게 될 수도 있고요. 하지만 이 소원을 이루는 것은 전적으로 브누아 자신의 의지에 달려 있답니다.

# 나는 다른 세상을 꿈꿔요

"말도 안 돼! 네가 히말라야에 오르겠다고?"

릴리가 동생의 꿈을 비웃었어요.

"불가능한 꿈을 꾸는 건 엄마도 마찬가지예요. 물로 움직이는 자동차를 만들고 싶어 하잖아요. 또 아빠는 엄마가 고모랑 화해하길 바라는데 그건 불가능한 일이라고요!"

"그러는 넌? 세상 곳곳을 찾아다니며 모든 아이들이 글을 쓰고 읽을 수 있게 하고 싶다고 했지? 그게 가능하겠니?"

릴리의 엄마가 물었어요.

"당연하죠!"

릴리가 흥분한 목소리로 말했어요. 엄마가 자신의 꿈을 비웃자 화가 났습니다.

브누아는 세계의 지붕이라고 불리는 히말라야 정상에
오르고 싶어 해요. 릴리는 문맹 퇴치를 꿈꾸지요. 또 엄
마는 지구를 깨끗하게 만드는 방법을 찾고 싶어 하고,
아빠는 가족들이 서로 싸우지 않고 사이좋게 지내길 원
해요. 이들의 꿈은 어쩌면 불가능할 수도 있고, 또 어쩌
면 가능할 수도 있어요.

"너, 무슨 생각을 그렇게 하니?"

"아, 아무것도 아니에요."

"그만 자라. 내일 학교 가려면 일찍 일어나야지."

살로메가 잠을 이루지 못하는 이유가 있어요. 학교에서 쉬는 시간마다 끔찍한 일을 겪기 때문이에요. 살로메는 친구들과 운동장 한쪽 구석에 숨어 있어야 해요. 쉬는 시간이 되면 고학년 학생들이 저학년 학생들에게 피해를 주기 때문이에요. 살로메는 주머니에 있는 카드와 고무줄도 꺼낼 수가 없어요. 고학년 학생들이 빼앗아 갈까 봐 겁이 났거든요. 또 개학을 한 뒤로 놀이터 정글짐 가까이에 갈 엄두도 내지 못해요. 6학년 언니 오빠 들이 모여 그곳에서 수다를 떨거든요.

살로메는 눈을 꼭 감고 상상했어요. 수업이 끝나는 종이 울리자 살로메가 운동장 한복판으로 뛰어갑니다. 친구들과 얼음땡 놀이를 하는 상상을 하지요. 안나가 살로메에게 정글짐에서 술래잡기를 하자고 제안했습니다. 또 살로메는 친구들과 고무줄 놀이도 해요. 모든 학생이 질서를 지키고 발을 거는 사람도 없어요. 어깨로 툭 치고 가는 사람도 없어요. 계단에서 남을 밀치는 사람도 없고요!

'왜 이런 일들이 현실에선 불가능한 거지?'

살로메는 속으로 생각했어요. 이런저런 생각들로 머리가 복잡했지요. 왜 교장 선생님은 정글짐을 누구나 쓸 수 있도록 보호하지 않는 걸까? 5, 6학년 학생들이 운동장에 나가기 전에 저학년을 먼저 내보내면 안 되는 걸까? 선생님을 찾아가 우리의 고민을 털어놓을 수는 없을까? 6학년인 친절한 루시 언니에게 가서 도움을 청해 볼까?

살로메는 완벽하고 이상적인 쉬는 시간을 상상해요. 쉬는 시간에 자신이 원하는 대로 자유롭게 보낼 수 있었으면 하는 거죠. 다행히도 인간이 상상을 하는 것까지 막을 수는 없어요! 상상은 매우 위대한

탐험가예요. 현실이 아닌 또 다른 세계로 우리를 안내
하지요. 또 지금보다 더 나은 세상을 만들게도 하고, 행
복이 넘치는 이상향을 실현시킬 수 있게 합니다. 새로운
가능성의 세계를 상상하는 것을 막을 수 있는 것은 아무
것도 없어요. 그런 상상을 통해 우리는 이 세상을 변화
시킬 수 있는 방법을 찾습니다.

# 호주의 제빵사, 아니면 파리의 치과의사?

오스카는 여행을 떠나기로 마음먹었어요. 여자친구 클레망스와 헤어지고 난 뒤라서 이 결심을 말릴 사람도 없거든요.

오스카는 세계 지도를 가지고 와서 책상 위에 펼쳤습니다. 손가락을 허공에 저으며 흔들다가 지도의 아무 곳이나 콕 찍었어요. 오스카가 손으로 짚은 곳은 그린란드예요! 오스카는 다시 손으로 캐나다를 짚으며 호숫가의 작은 오두막에서 몇 주 동안 머무는 상상을 했어요. 그런 다음 오토바이를 타고 북아메리카 대륙을 횡단하는 거죠.

두 달 뒤에는 마이애미에 도착해서 영어를 배우는 거예요. 그러고 나서 안데스 산맥을 넘어 남아메리카 남쪽 땅끝에 있는 섬인 티에라델푸에고에 도착해요. 그리고는 아프리카로 떠나는 배를 타고 거기서 요리사로 일할 거예요.

오스카는 중국으로 건너가 상하이에 있는 어린 시절 친구를 만날까도 생각해요. 지중해 여행 중에 멋진 남자와 사랑에 빠지지만 않는다면 말이에요. 오스카는 또 인도양의 어느 섬에서 스킨스쿠버 다이빙을 가르치며 그곳에 정착해 사는 멋진 상상을 해요. 아니면 호주에서 프랑스 제과점을 여는 것은 어떨까요?

오스카는 소파에 누운 채 온갖 상상의 나래를 펴요. 지금 다니는 학교를 졸업하면 파리에서 치과의사가 될 수도 있어요. 아니면 그냥 집에 있으면서 떠나간 여자친구의 마음을 되돌리려고 애쓸지도 몰라요.


우리는 상상을 할 때, 현재 자신이 머물고 있는 시간과 공간의 제한을 받지 않아요. 우리가 사는 세계는 엄

청나게 크고 넓어요. 인간은 생각을 하면서 모든 것을
가능하게 만들며 상상의 나래를 펼치지요.

# 내 사랑, 윌리엄

내 사랑, 윌리엄에게

이제 사흘 남았어! 사흘 뒤면 방학이고, 우린 두 달 동 안 함께 지내게 될 거야! 네가 탄 차가 멀리서 보이기 시작하면 난 너무 좋아서 소리를 지를지도 몰라! 우리가 첫 뽀뽀를 한 버스 정거장이 바로 그 옆에 있지. 부모님 은 아무것도 모르고 계셔. 그러니까 들키지 않게 조심해 야 해. 부모님에게 우리가 사귀는 것에 대해 말하고 싶 지 않아. 정말 안 돼. 너도 동의하지?

어젠 웃긴 일이 있었어. 이 얘길 듣고 날 비웃으면 안 돼. 빅토르 위고의 시 마지막 구절을 읽는데 그만 눈물 이 찔끔 났지 뭐야! 청승맞다고 생각할 수도 있겠지! 시 를 읽고 우는 게 바보 같은 짓이라고 생각하지? 슬픈 내 용도 아니었어. 별과 바다를 노래하는 시였지. 너에게 마지막 구절을 들려줄게. 읽으면서 나처럼 감동했는지 나중에 얘기해 줘.

> 나는 밤하늘이 비치는 바다를 보며 홀로 있네.
> 하늘엔 구름 한 점 없고
> 바다엔 배 한 척 없네.
> 내 눈은 현실과 멀리 떨어진 곳을 바라보네.
> 숲과 산, 모든 자연이 중얼거리며
> 내게 혼란스러운 질문을 하네.
>
> 바다의 잔 파도와
> 하늘의 별빛만 거기 있네.

아직 하고 싶은 말이 너무나 많은데, 엄마가 저녁 먹으라고 벌써 세 번이나 불러서 이만 쓸게. 오늘 밤에 '난 다른 세상을 꿈꾸네'란 노래를 들을 거야. 가사를 적어서 나중에 강가의 모래언덕에 함께 있을 때 불러 줄게.

그럼, 토요일에 보자, 내 사랑, 윌리엄!

루시가


 윌리엄은 이 편지를 읽고 깜짝 놀랐어요! 루시를 비웃고 싶은 마음은 전혀 없었지요. 하지만 시를 읽고 감동했다는 말을 듣자 저절로 웃음이 나왔답니다. 윌리엄은 루시가 써 보낸 시를 다시 또 읽었어요. 파도와 별을 보며 루시가 어떤 감동을 받았을지 상상하는 동안 윌리엄은 포근한 인형을 안고 있는 것처럼 마음이 따뜻해졌어요. 그런 자신을 보고 속으로 놀랐지요.
 윌리엄은 지금까지 아무에게도 털어놓은 적이 없지만 어떤 노래를 듣고 운 적이 있답니다. 서로 다시 만날 수 없는 아버지와 아들에 대한 노래였어요. 그 노래를 들으면서 윌리엄은 여행 때문에 자주 집을 비우는 아빠를 생각했습니다. 그리고 아빠가 너무 그립다는 생각을 처음으로 했답니다.

'루시가 나를 내 사랑 윌리엄이라고 부르는 걸 내 친구들이 알면 난 끝장이야.'

윌리엄이 속으로 생각했어요. 그러면서도 루시가 쓴 편지에 입을 맞추었지요.

말 한마디가 우리의 마음을 따뜻하게 만들어요. 우리가 불가능하다고 생각했던 감정을 느끼게 해요. 시 한 편으로 예상하지 못한 큰 감동을 받기도 하고, 노래 한 곡으로 어떤 가능성을 깨닫지요.

# 가능한 것과 불가능한 것 가려내기

매우 간단해요. 불가능한 것은 빨간색으로 밑줄을 긋고 가능한 것은 녹색으로 밑줄을 그어 보세요.

- 키가 크고 뚱뚱하기
- 키가 크면서도 아담하기
- 3일 동안 아무것도 안 먹고 살기
- 60일 동안 아무것도 안 먹고 살기

루카는 선생님이 너무 쉬운 문제를 냈다고 생각했어요. 그래도 다음 문제를 계속 더 풀기로 했습니다.

- 내일 비가 올 것이다.

요즘 날씨가 매우 덥고 일기 예보에서도 비가 오지 않

을 것이라고 했어요. 루카스는 속으로 생각했지요.

'내일 비가 오는 건 불가능해.'

하지만 가능할 수도 있어요. 그래서 반은 녹색, 반은 빨간색으로 밑줄을 그을까 생각했어요.

'아냐, 가능하기도 하고 불가능하기도 하다니, 그런 건 존재하지 않아.'

결국 루카는 녹색으로 밑줄을 그었습니다. 그리고 계속해서 다음 문제를 풀어 나갔어요.

● 인간은 호흡관을 끼지 않고 수심 300미터까지 내려갈 수 있다.

루카는 가능한지 아닌지 잘 몰랐어요. 이 질문의 정답을 아는 사람도 있을 거예요. 루카는 그냥 대충 어림잡아서 빨간색으로 밑줄을 그었어요.

● 달이 언젠가는 지구와 충돌할 것이다.

루카는 막스가 이 문장에 빨간색 밑줄을 긋는 것을 보았어요. 하지만 자신은 녹색으로 밑줄을 죽 그었답니다. 달은 지구 주위를 수백 년 넘게 돌고 있어요. 그렇다고 앞으로도 계속 그렇게 돌 거라고 장담할 수는 없잖아요.

● 지구는 신이 창조한 것이다.

루카는 루가 어떤 결정을 내렸는지 힐끔 보았어요. 루는 녹색으로 밑줄을 그었네요. 로돌프는 빨간색으로 밑줄을 그었고요. 루카는 망설였어요. 아빠는 "그렇다"라고 대답했지만 엄마는 "아니"라고 했어요. 위베르 삼촌은 "어쩌면"이라고 대답했고 할머니는 "우리는 알 수 없지"라고 대답하셨답니다. 루카는 마지막 문장을 읽으며 생각했어요.

● 나는 커서 이 나라의 대통령이 된다.

루카는 바로 녹색으로 밑줄을 그었어요. 대통령이 되

● 는 건 바로 루카의 꿈이니까요!

 처음에 문제를 처음에 풀 때에는 너무 쉽다고 생각했어요. 가능한 것과 불가능한 것이 확실하게 구분되었거든요. 키가 크면서 아담하기는 불가능하잖아요. 60일 동안 아무것도 먹지 않고 사는 것도 불가능하고요. 그런데 문제를 계속 풀수록 점점 어려워졌어요.
 확실히 가능한 일이 있는가 하면 어쩌면 가능할 수도 있는 게 있어요. 또 우리가 미처 모르고 넘어갔지만 가능할 수도 있고 아니면 전혀 불가능할 수도 있는 것도 있어요. 또 가능할 수도 있고 불가능할 수도 있는, 두 가지 경우에 다 해당하는 것도 있어요. 우리가 꾸는 꿈이 그렇지요.

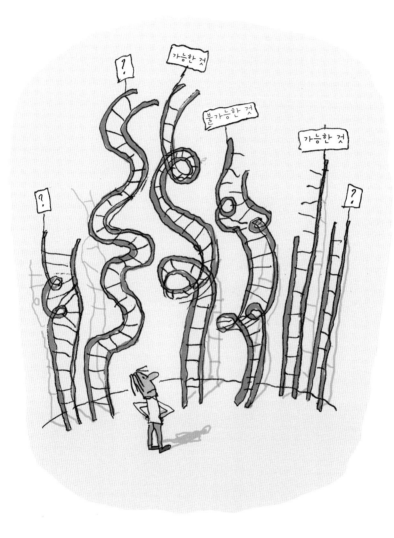

# 나만의 철학 맛보기 노트

# 진짜 철학 맛보기

**가**끔씩 친구들 두세 명 또는 여럿이서 모여 영화를 보거나 놀이를 하지요. 또 발표 숙제를 준비하거나 음악을 듣기도 하고요. 때로는 친구들과 있으면서 특별히 무언가를 하지 않을 때가 있는데, 이럴 땐 모두가 관심 있어 하는 주제에 대해 대화를 나누어 보세요.

대화를 하다 보면 부모님, 선생님, 친구, 사랑, 전쟁, 부끄러움, 불공평 등 다양한 주제로 이야기가 이어져요. 그러면서 우리는 다른 세상을 꿈꾸지요!

그러다가 밤이 되어 혼자가 되면 그 주제에 대해 다시 생각합니다.

다른 사람들과 세상의 모든
것에 대해 이야기를 나눌 수
있다는 것은 정말 좋은 일이
에요. 물론 자기 말만 하고 도
무지 남의 이야기를 들으려고 하지 않는 사람들과 있으면
의견 차이를 좁히지 못해 화가 날 때도 있지만요.

하지만 의견이 다르면 좀 어때요! 우리가 함께 정
한 주제에 대해 자유롭게 이야기하고 토론하는 것
이 더 중요하지 않을까요? 자기
집이나 친구 집, 학교에서도
이야기를 나누면 어떨까요?

# 진짜 철학 맛보기

진짜 철학 맛보기에 성공하고
싶다면 몇 가지 주의할 것들이
있답니다.

- 대화 참여자 수는 10명 이내로 하는 것이 좋아요.

- 마실 음료와 간식을 미리 준비해 두면 좋고요!

- 바닥에 앉아도 좋고, 각자 편한 자세로 자유롭게 대화를
  나누는 겁니다. 둥글게 빙 둘러앉아서 한가운데에 음식을
  놓을 수도 있습니다.

● 대화 주제를 미리 정한 것이 아니라면 누군가가 나서서 여러 가지 주제를 제안할 수 있지요.

● 각자 가장 마음에 두고 있는 주제를 내놓습니다. 자신의 선택을 미리 말해서 다른 사람에게 영향을 주지 않도록 주의해야 해요.

● 가장 인기 있는 주제를 투표로 결정합니다. 한 사람당 한 가지 주제만 선택할 수 있어요.

● 가장 많은 표를 받은 주제가 바로 오늘의 대화 주제가 되는 것입니다.

**상**대의 말에 귀를 기울이고, 서로 싸우지 않으면서 나와 다른 의견을 받아들여야 합니다. 그리고 모두에게 말할 수 있는 공평한 기회를 주어야 해요. 그러려면 어떻게 해야 하는지 다음 내용을 읽어 보고 실천해 봅시다!

자, 이제 시작할까요?
한 시간 정도 대화를 나눠 보세요!
뜻깊은 하루가 될 거예요!

**과**일 주스와 과자도 있고 대화의 주제도 벌써 준비되어 있군요! 오늘의 주제는 바로 '가능과 불가능'입니다. 만약 대화를 바로 시작하기 어렵다면 다음과 같이 해 봅시다. 서로 멀뚱멀뚱 쳐다보기만 하고 아무도 말을 하지 않을 경우도 있을 테니까요.

● 11쪽의 이리스는 자신이 태어나지 않았을 가능성에 대해 생각하자 머리가 복잡해졌어요. 이리스와 같은 생각을 해 본 적이 있나요? 내가 이 세상에 존재하지 않았을 가능성을 생각해 본 적 있나요?

# 진짜 철학 맛보기
## 가능과 불가능

● 20쪽의 대사는 어떻게 왕을 설득했을
까요? 왕이 자신의 말을 믿지 않는 게
잘못됐다는 것을 어떤 방법으로 설득
했을까요? _____

_____

● 31쪽에서처럼 인류 역사상 오랫동
안 불가능했던 것을 가능하게 만든
일들에는 무엇이 있을까요?

_____

_____

● 38쪽의 릴리와 브누아, 엄마와 아빠는 각자의 꿈이 있
어요. 여러분의 꿈은 무엇입니까? 그 꿈은 가능할까
요? 가능하게 만들려면 어떻게 해야 할까요?

_____

_____

_____

**친**구들과 대화할 때 이 책을 활용해 보세요. 한 친구가 먼저 본문의 일부 또는 일화 한 편을 읽습니다. 그런 다음에 이와 비슷한 경험을 한 사람이 자신의 이야기를 들려줍니다. 그리고 나서 본문의 내용이 무엇을 의미하는지 서로 이야기를 나누세요.

스스로에게 질문을 할 수도 있고 다른 사람에게 질문을 할 수도 있어요. 질문에 대한 대답을 함께 찾아보세요. 확실한 대답을 찾기 어려운 질문도 있습니다. 왜냐하면 질문 속에 또 다른 문제들이 숨어 있거든요.

**몇** 가지 예들을 생각나는 대로 적어 보면 다음과 같아요. 다음 질문에 전부 대답 하려면 아마 몇 시간은 걸릴 거예요!

"우리는 언제 확실히 불가능하다고 말할까요?"

"우리가 상상하는 것은 모두 현실적으로 가능한 일일까요?"

"가능한 것을 목록으로 작성해 볼까요?"

"불가능한 것도 목록으로 작성해 볼까요?"

"가능하다고 말할 수 있으려면 그것을 직접 두 눈으로 보아야만 할까요?"

"지금은 불가능하지만 미래에는 가능한 것들에는 무엇이 있나요?"

"내일 태양이 뜨지 않을 수도 있을까요? 그 이유는요?"

이제 여러분이 대답할 차례예요!
철학 맛보기 시간!
여러분의 생각을 표현해 보세요!

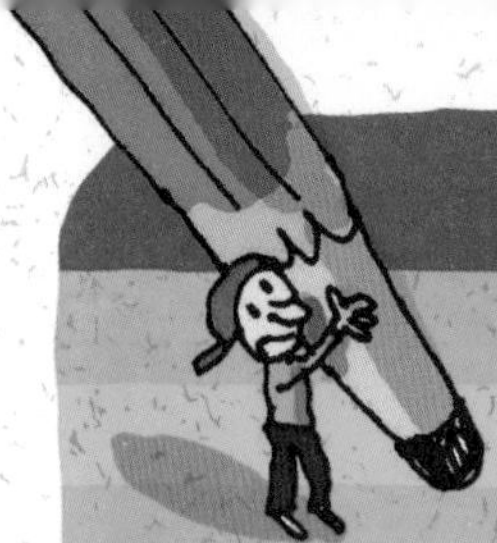

## 내 생각은 . . .

# ● 철학 맛보기 시리즈 ●

〈철학 맛보기〉 시리즈는 계속해서 출간될 예정입니다.

〈철학 맛보기〉 시리즈는 우리 주변에서 일어나는 일상의 일들을 생각해보는 '생활 철학'입니다. 어린이의 눈높이에 맞게 생활 속의 이야기를 들려주고 아이들 스스로 논리적 사고를 할 수 있도록 도와줍니다.